DK 아틀라스시리즈

Activity Book 5

세계대 여행

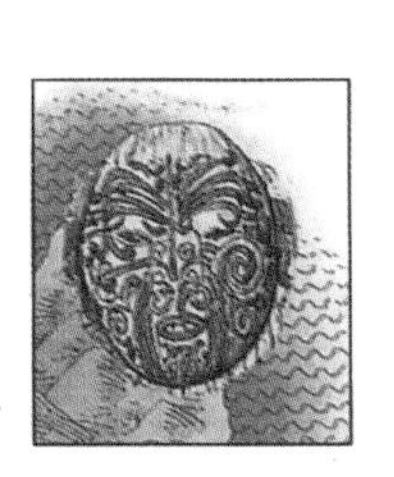

루덴스

아시아

세계 육지의 거의 3분의 1을 차지하는 아시아는 세계에서 가장 큰 대륙이다. 세계 인구의 3분의 2가 살고 있으며, 세계에서 가장 높은 곳인 에베레스트 산과 가장 낮은 곳인 사해가 있다. 또한 유대교, 이슬람교, 불교, 크리스트교, 유교, 힌두교가 모두 아시아에서 일어났다. 아시아는 북극권에서 적도까지 펼쳐져 있기 때문에 지구에서 가장 추운 곳부터 가장 더운 곳까지, 가장 건조한 곳부터 습기가 가장 많은 곳까지 기후가 매우 다양하다.

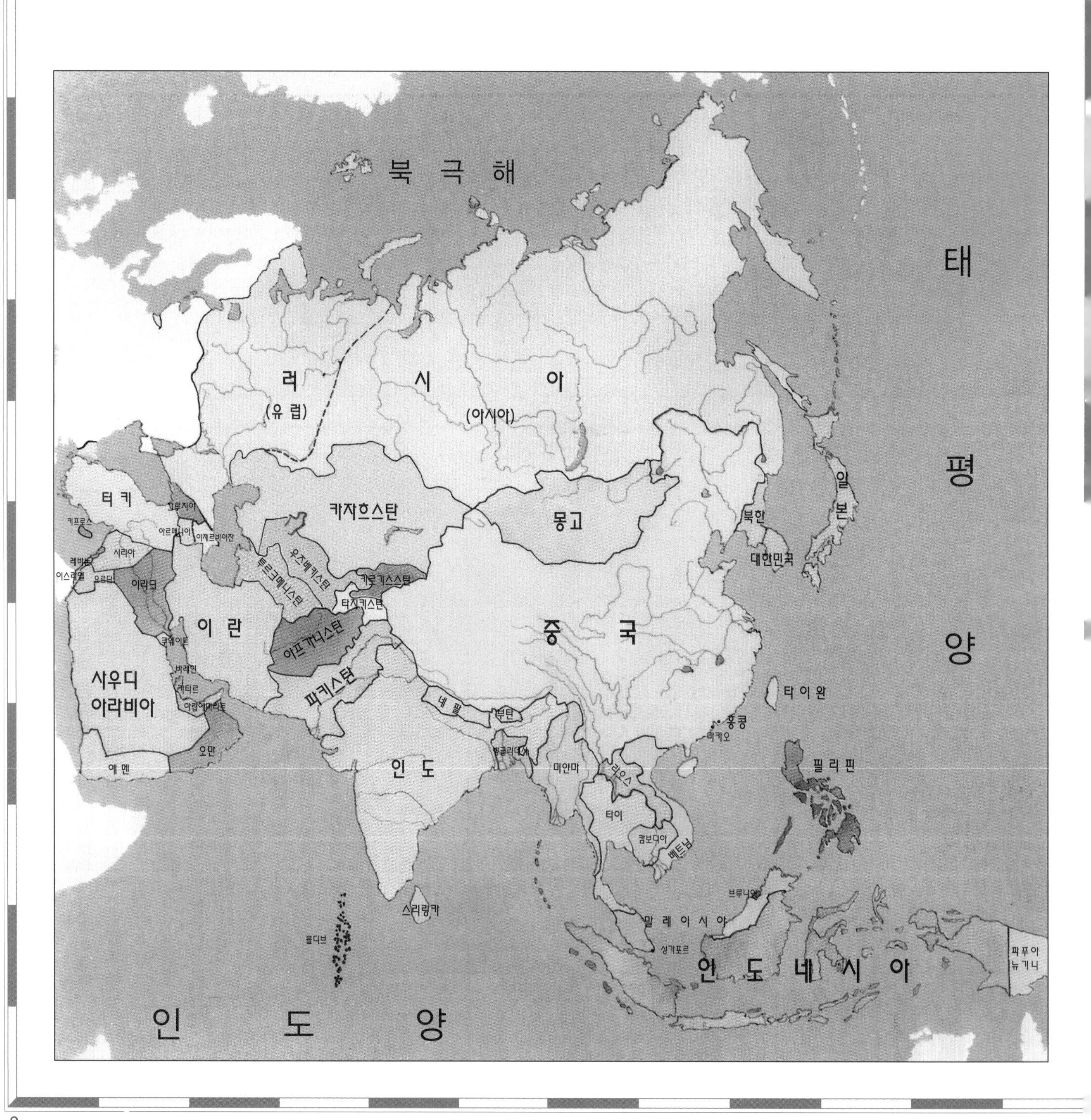

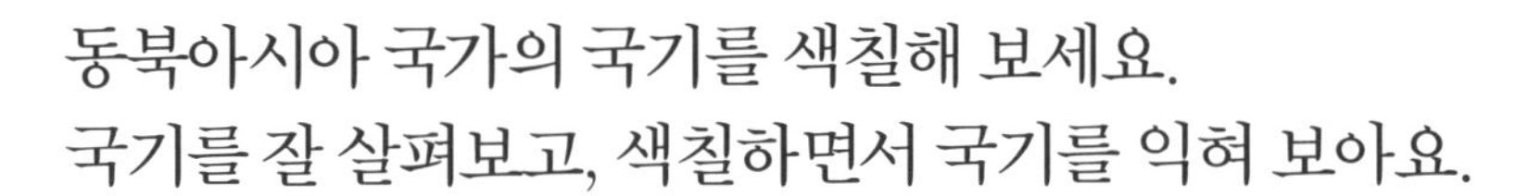

동북아시아 국가의 국기를 색칠해 보세요.
국기를 잘 살펴보고, 색칠하면서 국기를 익혀 보아요.

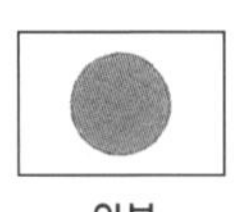

대한민국 일본 중국 몽고 대만 북한

❶ 대한민국

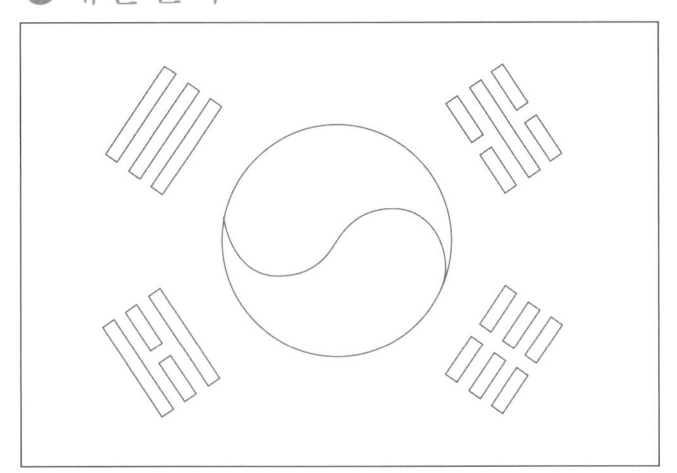

❷ 일본

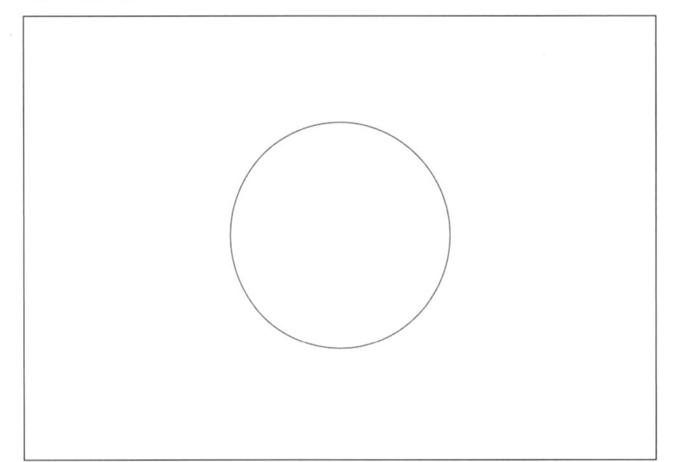

❸ 중국

❹ 몽고

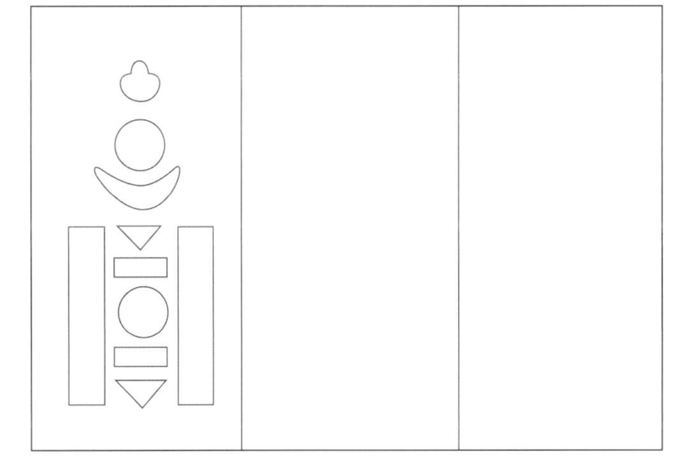

❺ 대만

❻ 북한

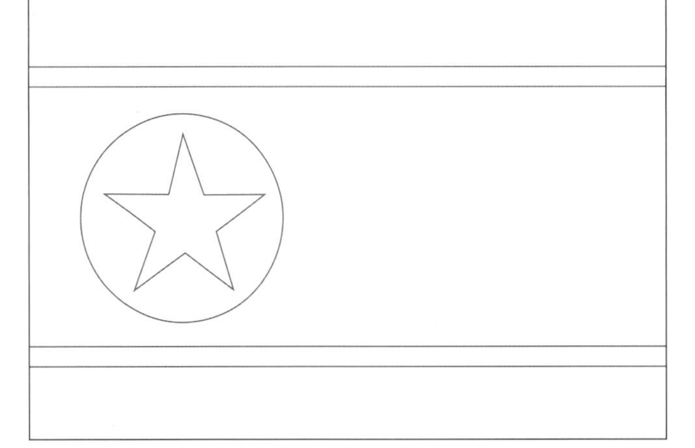

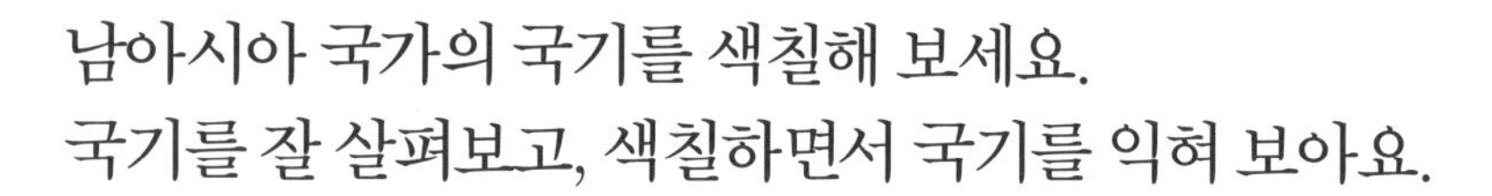

남아시아 국가의 국기를 색칠해 보세요.
국기를 잘 살펴보고, 색칠하면서 국기를 익혀 보아요.

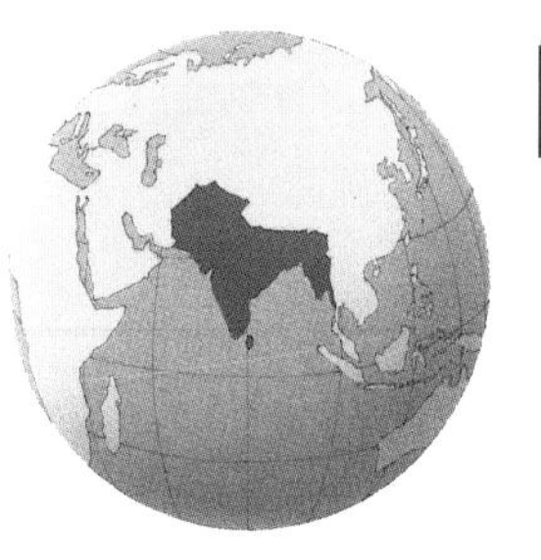

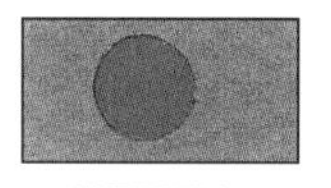
방글라데시

미얀마

네팔

아프가니스탄

파키스탄

인도

스리랑카

부탄

❶인도

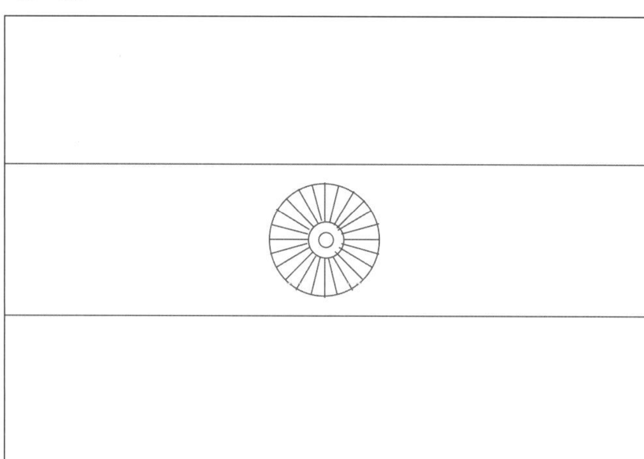

❷파키스탄

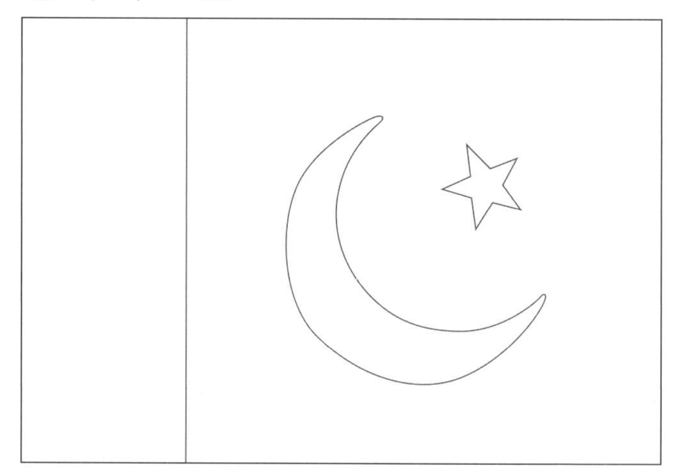

❸스리랑카

❹네팔

❺미얀마

❻방글라데시

동남아시아 국가의 국기를 색칠해 보세요.
국기를 잘 살펴보고, 색칠하면서 국기를 익혀 보아요.

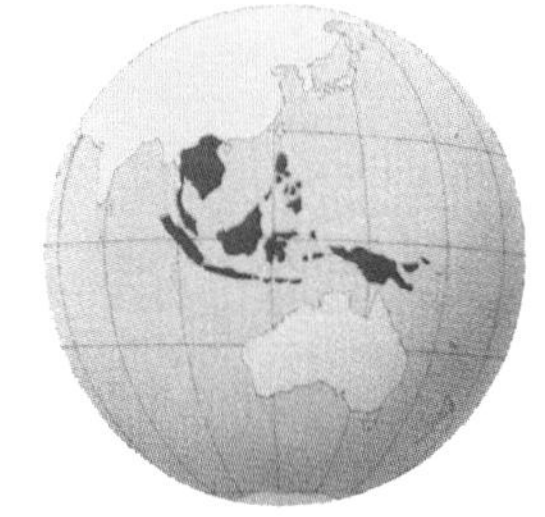
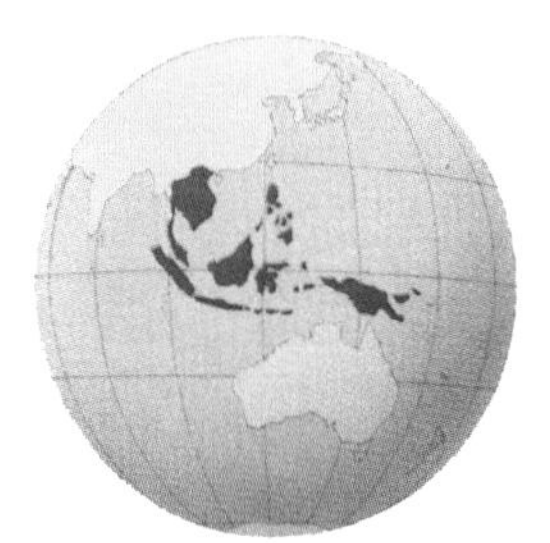

라오스

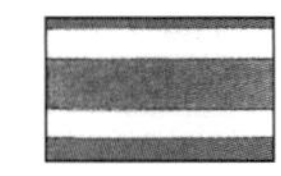
태국

말레이시아

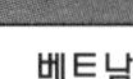
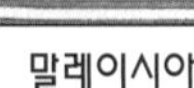
베트남

싱가포르

인도네시아

캄보디아

필리핀

파푸아뉴기니

❶ 싱가포르

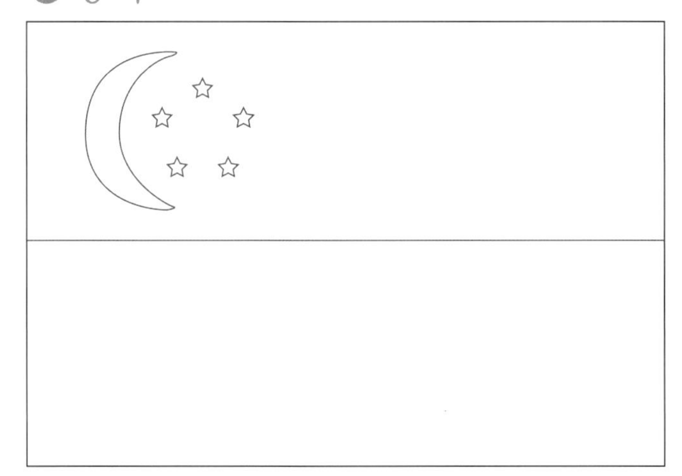

❷ 태국

❸ 필리핀

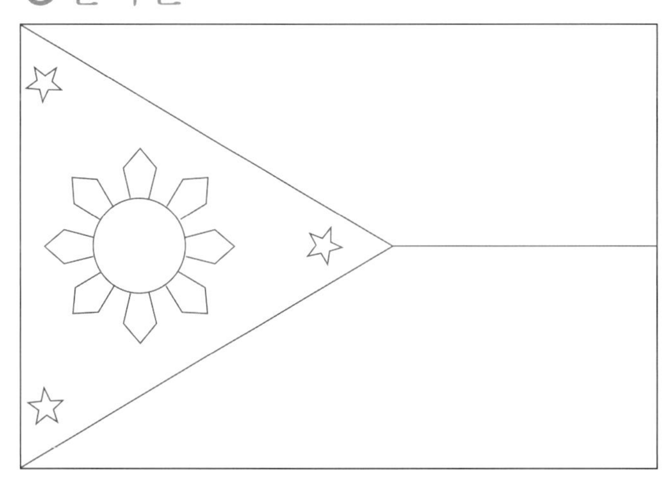

❹ 인도네시아

❺ 베트남

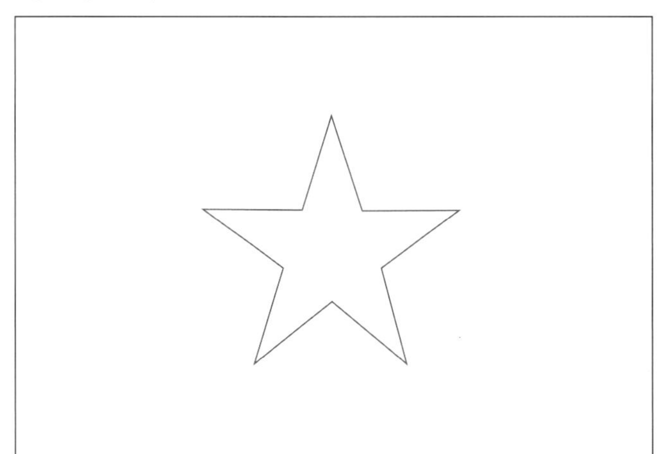

❻ 말레이시아

서남아시아 국가의 국기를 색칠해 보세요.
국기를 잘 살펴보고, 색칠하면서 국기를 익혀 보아요.

키프로스 시리아 레바논 이스라엘 사우디아라비아 터키 이라크

이란 오만 쿠웨이드 바레인 예멘 카타르 아랍에미리트 요르단

❶터키

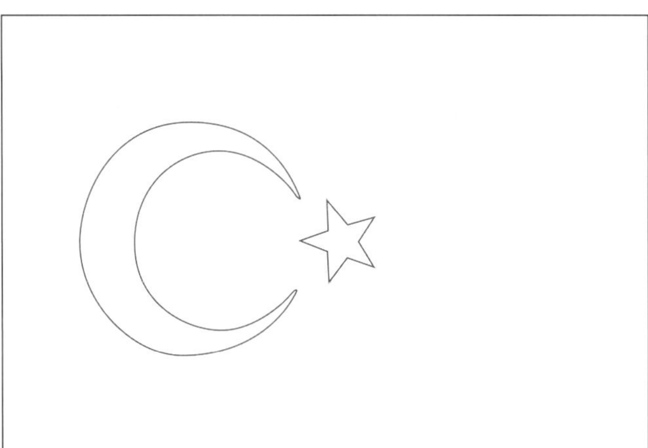

❷이스라엘

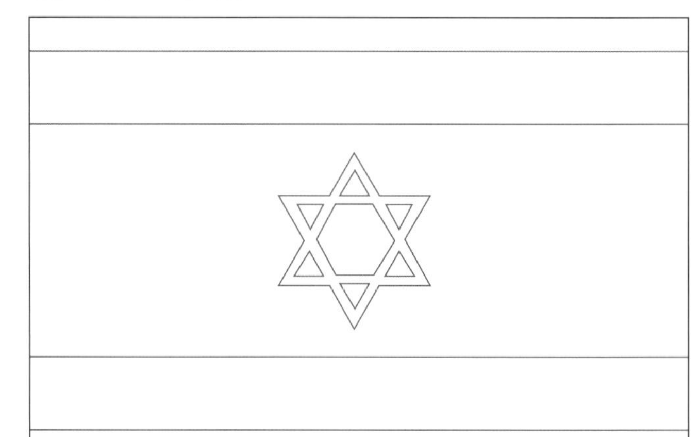

❸바레인

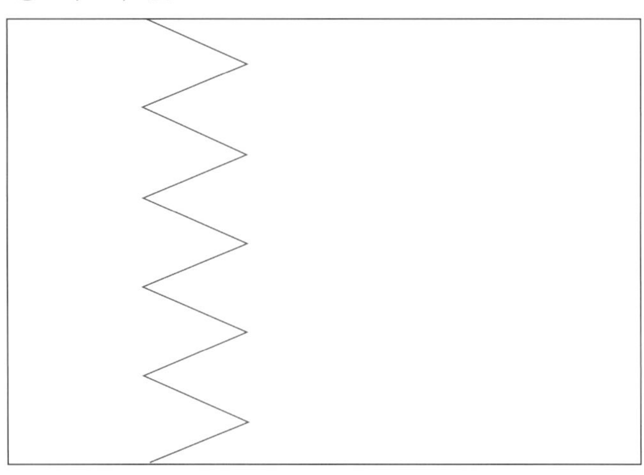

❹시리아

❺예멘

❻쿠웨이드

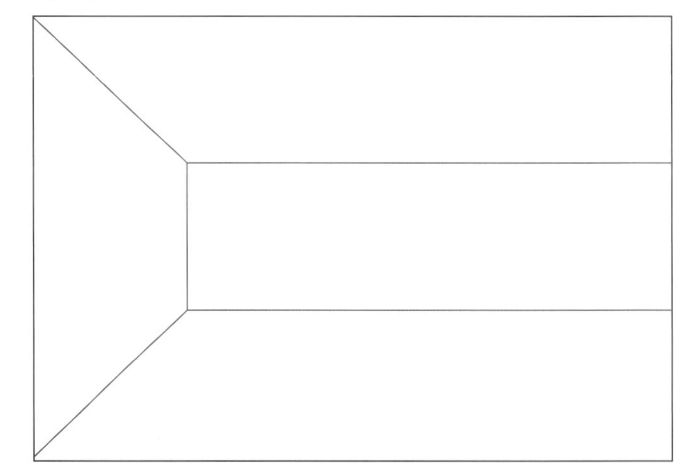

오세아니아

오세아니아는 오스트레일리아와 뉴기니 섬, 뉴질랜드, 그리고 태평양에 흩어져 있는 수천 개의 작은 섬들로 이루어져 있다. 오스트레일리아, 뉴질랜드, 뉴기니 섬은 한때 아프리카, 인도 등과 하나의 대륙을 이루다가 수백만 년 지나는 동안에 쪼개져 태평양으로 떨어져 고립되었다. 때문에 캥거루, 왈라비, 코알라 같은 유대 포유동물(주머니 달린 포유동물), 뉴질랜드의 키위, 올빼미앵무새 같은 날지 못하는 새 등 다른 곳에서는 볼 수 없는 동식물들이 독특하게 진화했다. 태평양의 섬들은 위치에 따라 폴리네시아, 미크로네시아, 멜라네시아로 나뉜다. 폴리네시아는 하와이 제도를 포함한 태평양 중앙부의 섬들이다. 미크로네시아는 태평양 서부에 있다. 멜라네시아는 미크로네시아 남쪽에 있다.

오스트레일리아

뉴질랜드

오세아니아 국가의 국기를 색칠해 보세요.
국기를 잘 살펴보고, 색칠하면서 국기를 익혀 보아요.

❶ 오스트레일리아

❷ 뉴질랜드

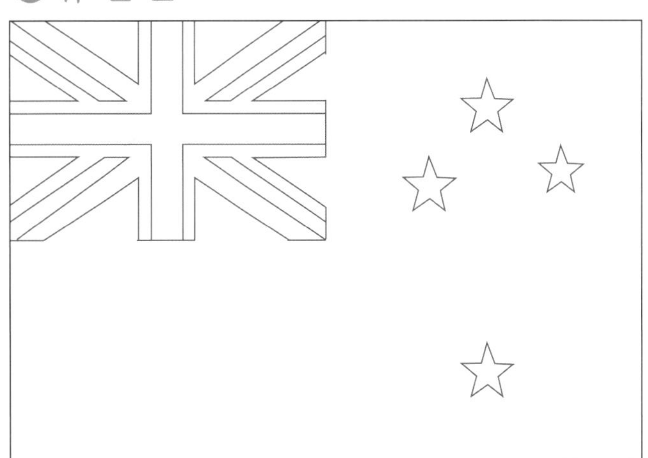

북아메리카

캐나다와 미국이 북아메리카 대륙의 4분의 3 이상을 차지하고 있다. 대륙의 북쪽 끝은 북극권에 속해 있으며, 캐나다 북동쪽에는 세계에서 가장 큰 섬인 그린란드가 있다. 대륙의 서부에는 로키 산맥이 남북으로 우뚝 솟아 있다. 이 산맥의 동쪽에는 미시시피 강과 미주리 강이 흐르는 기름진 농경지 그레이트 플레인스가 있다. 그리고 대륙의 남동쪽 해안에는 카리브 해의 섬들이 있고, 미국의 남쪽에는 멕시코와 작은 일곱 나라로 이루어진 중앙아메리카가 있다.

자메이카

도미니카 공화국

트리니다드 토바고

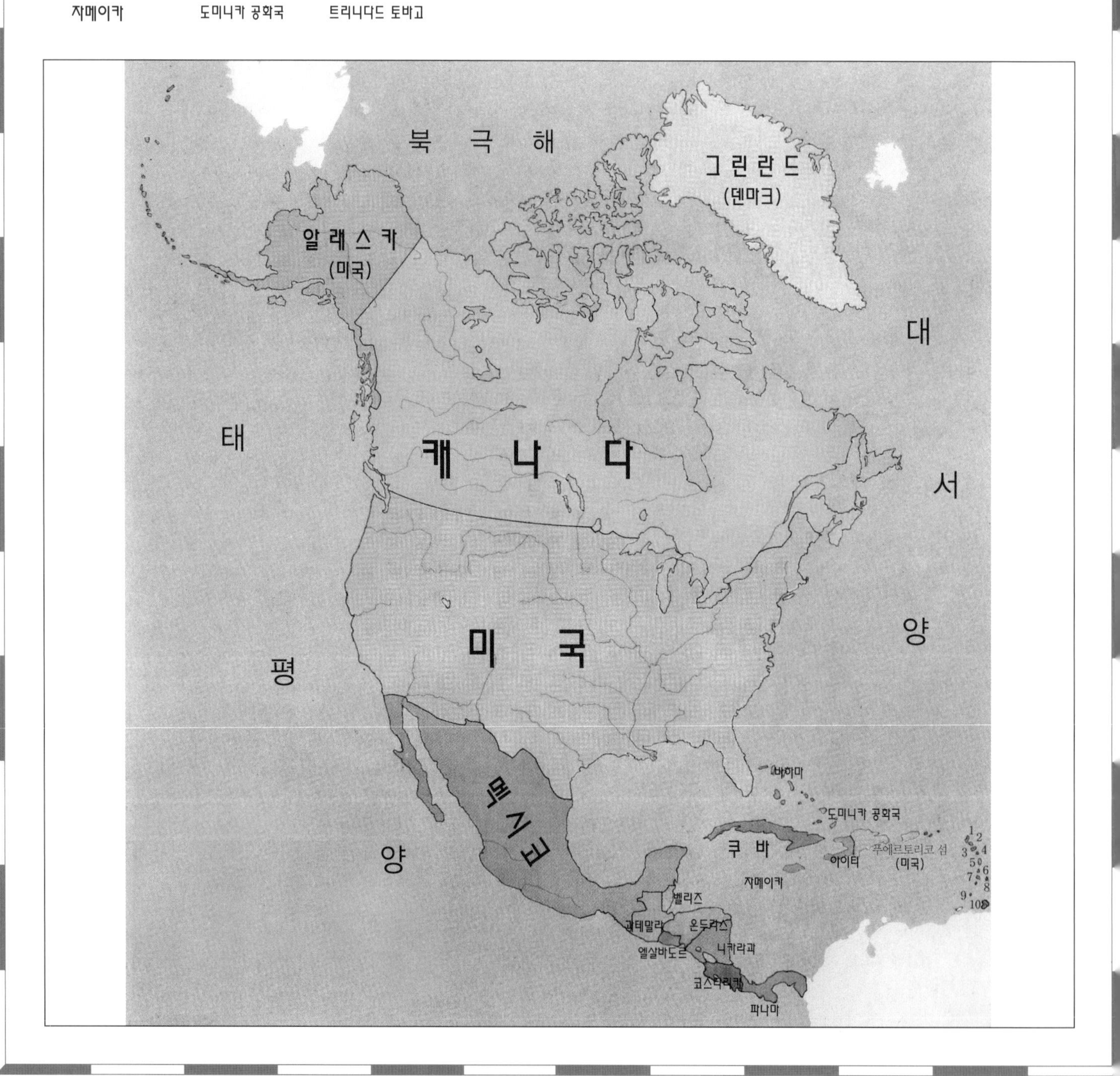

북아메리카 국가의 국기를 색칠해 보세요.
국기를 잘 살펴보고, 색칠하면서 국기를 익혀 보아요.

❶캐나다

❷미국

❸쿠바

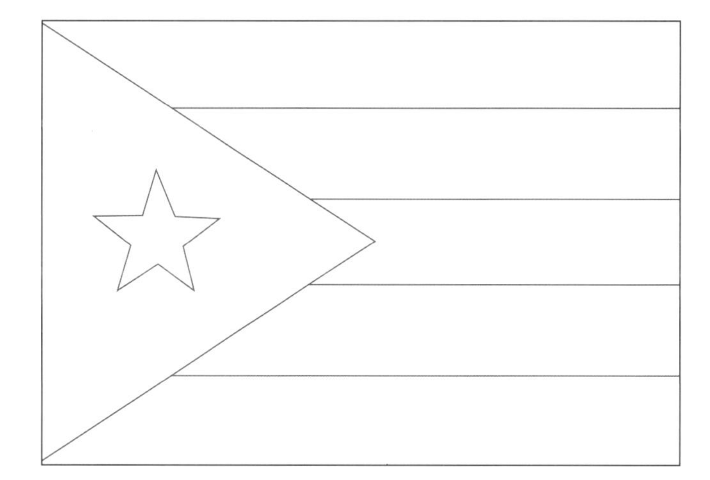

❹파나마

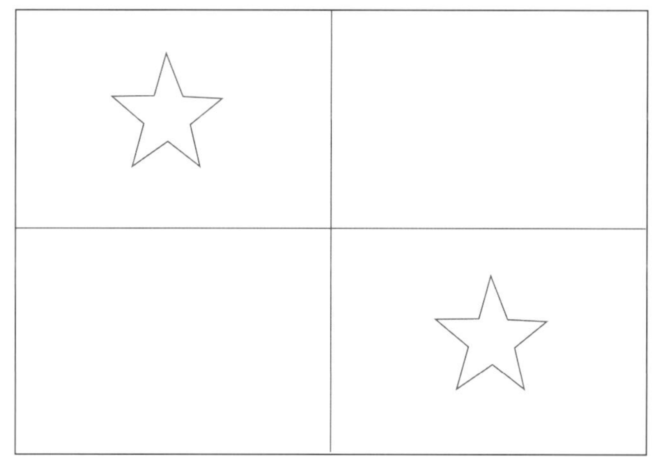

❺자메이카

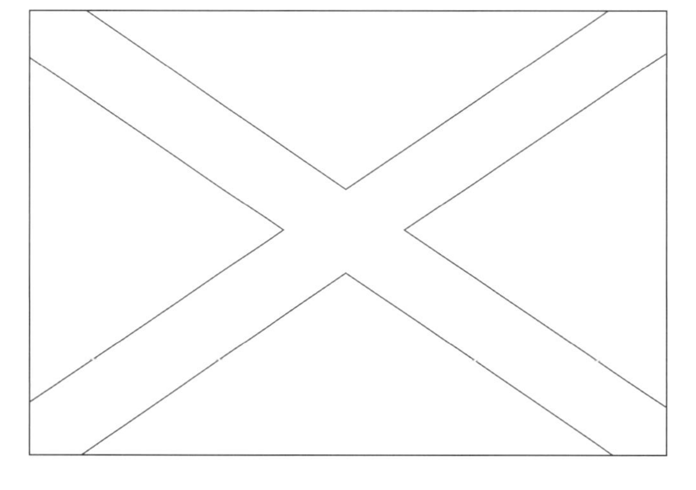

❻바베이도스

남아메리카

남아메리카 대륙은 거대한 산맥과 울창한 숲, 넓은 평원과 사막으로 이루어져 있다. 대륙의 서부에는 안데스 산맥의 눈 덮인 봉우리들이 남북으로 이어져 있고, 산맥을 따라 수백 개의 화산이 있다. 세계에서 가장 큰 강인 아마존 강이 안데스 산맥에서 발원한다. 대륙의 남동쪽에는 넓고 기름진 초원 팜파스가 있어 소 사육과 밀 재배가 대규모로 이루어지고 있다. 그 남쪽에는 파타고니아 지방의 사막 지대가 펼쳐져 있고, 남쪽 끝에는 혼 곶이 있다.

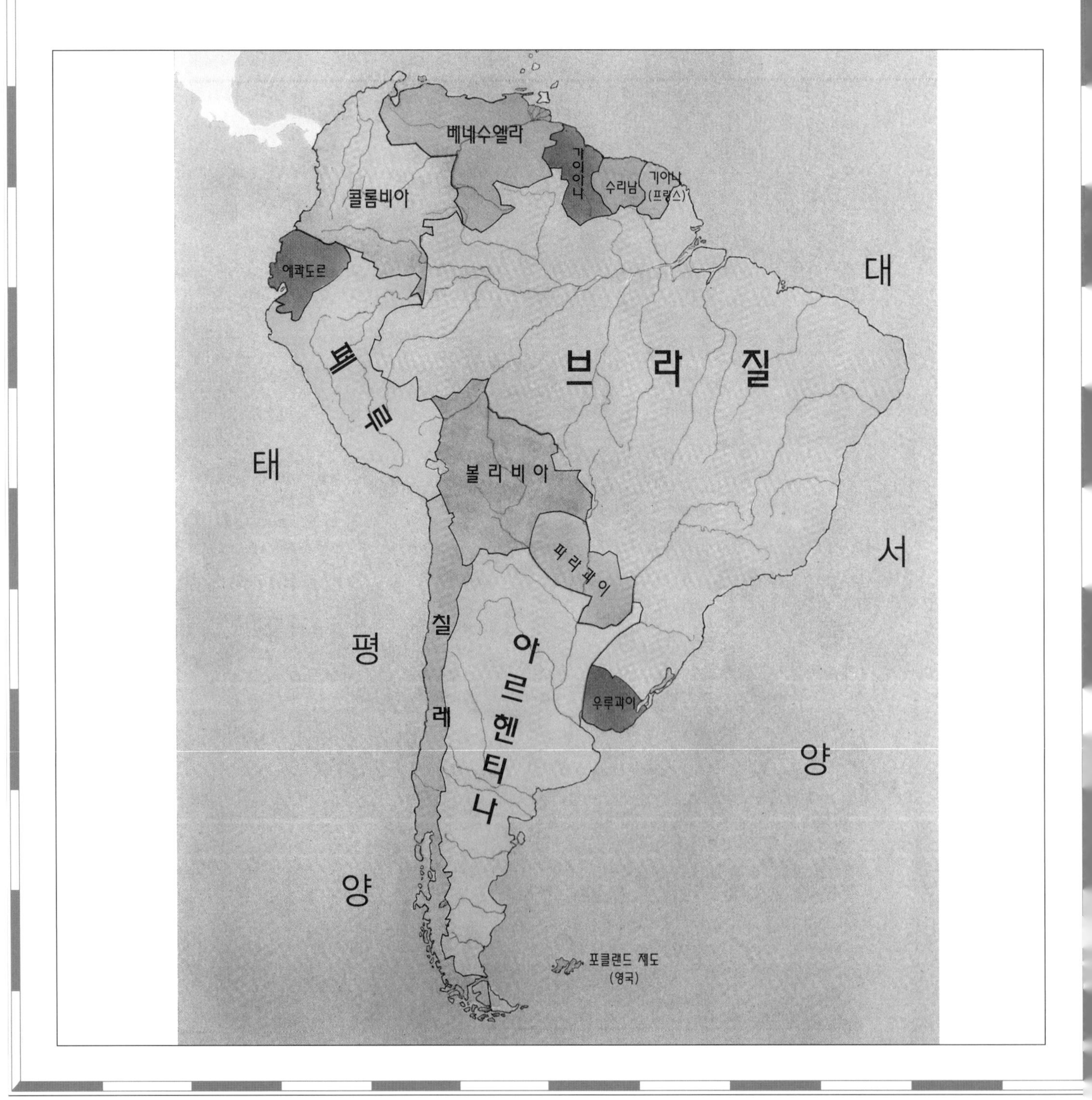

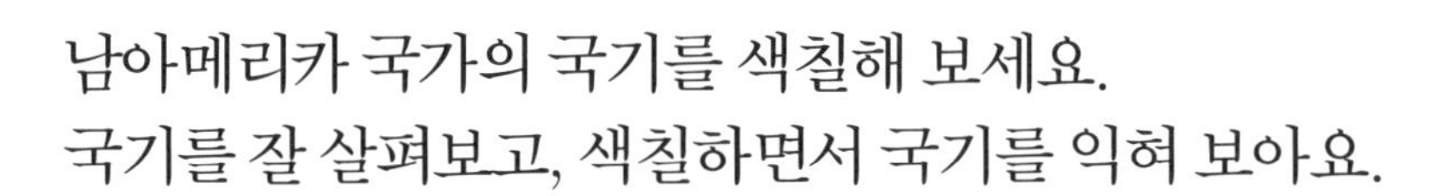

❶브라질

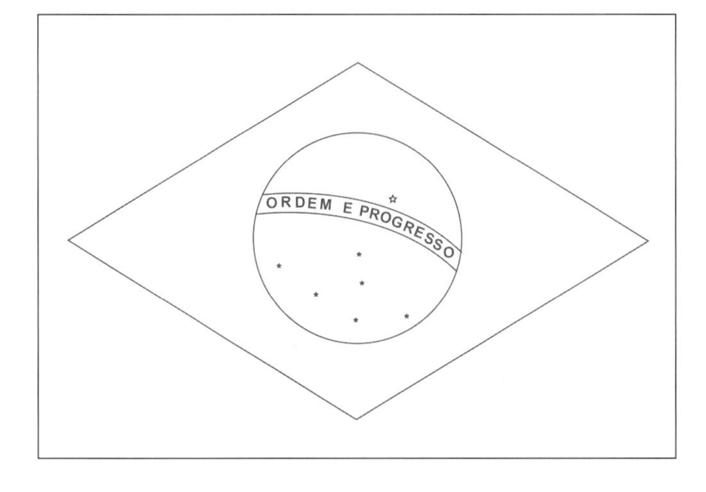

❷콜롬비아

❸칠레

❹가이아나

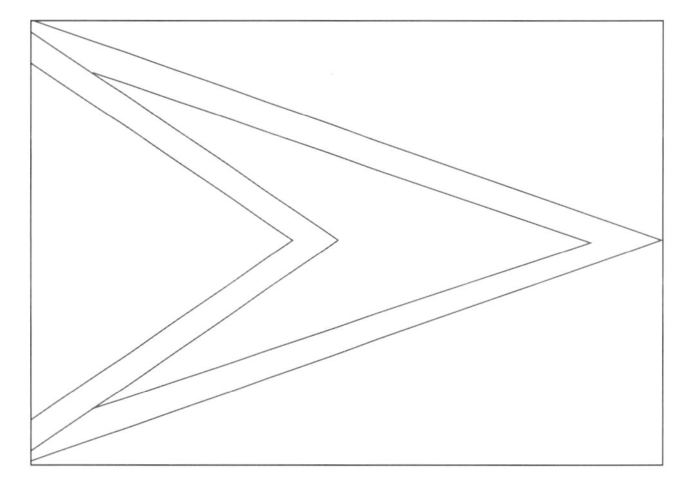

❺수리남

❻우루과이

유럽

유럽의 북쪽과 서쪽은 북극해와 대서양에, 남쪽은 지중해에 닿아 있다. 7대륙 가운데 두 번째로 면적이 작지만, 인구는 아시아 다음으로 많다. 유럽의 주요부는 서유럽의 알프스 산맥에 의해 남북으로 나뉘어 있다. 북유럽에는 대서양 연안에서 우랄 산맥까지 가로지른 평원이 넓게 펼쳐져 있고, 대륙의 먼 북쪽에는 스칸디나비아 반도의 산악 국가들이 있다. 구릉과 산지가 많은 남유럽은 역사적으로 지중해의 영향을 많이 받았다. 지중해가 여러 세기 동안 유럽, 아프리카, 아시아를 잇는 중요한 무역로였기 때문이다.

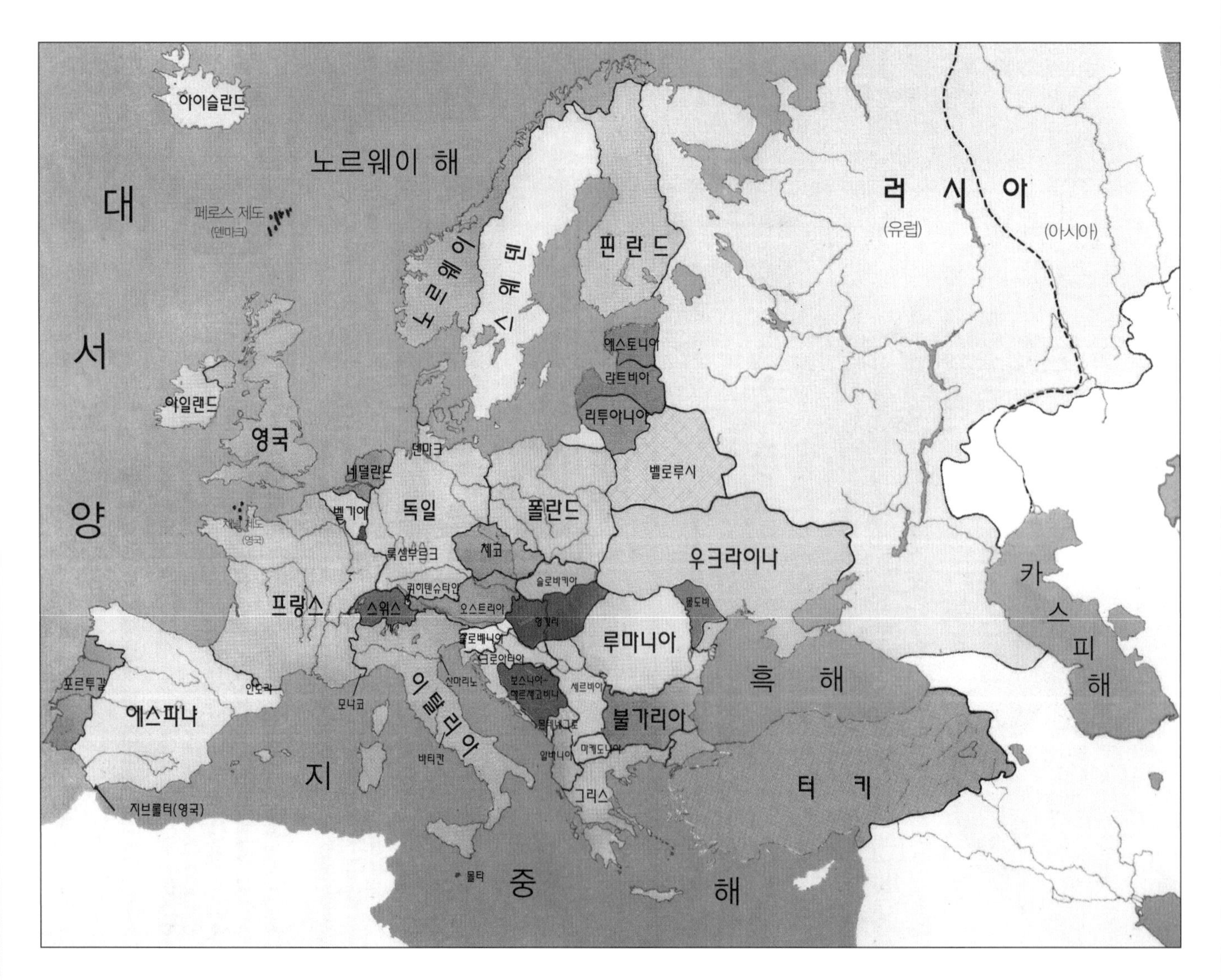

유럽을 대표하는 국가의 국기를 색칠해 보세요.
국기를 잘 살펴보고, 색칠하면서 국기를 익혀 보아요.

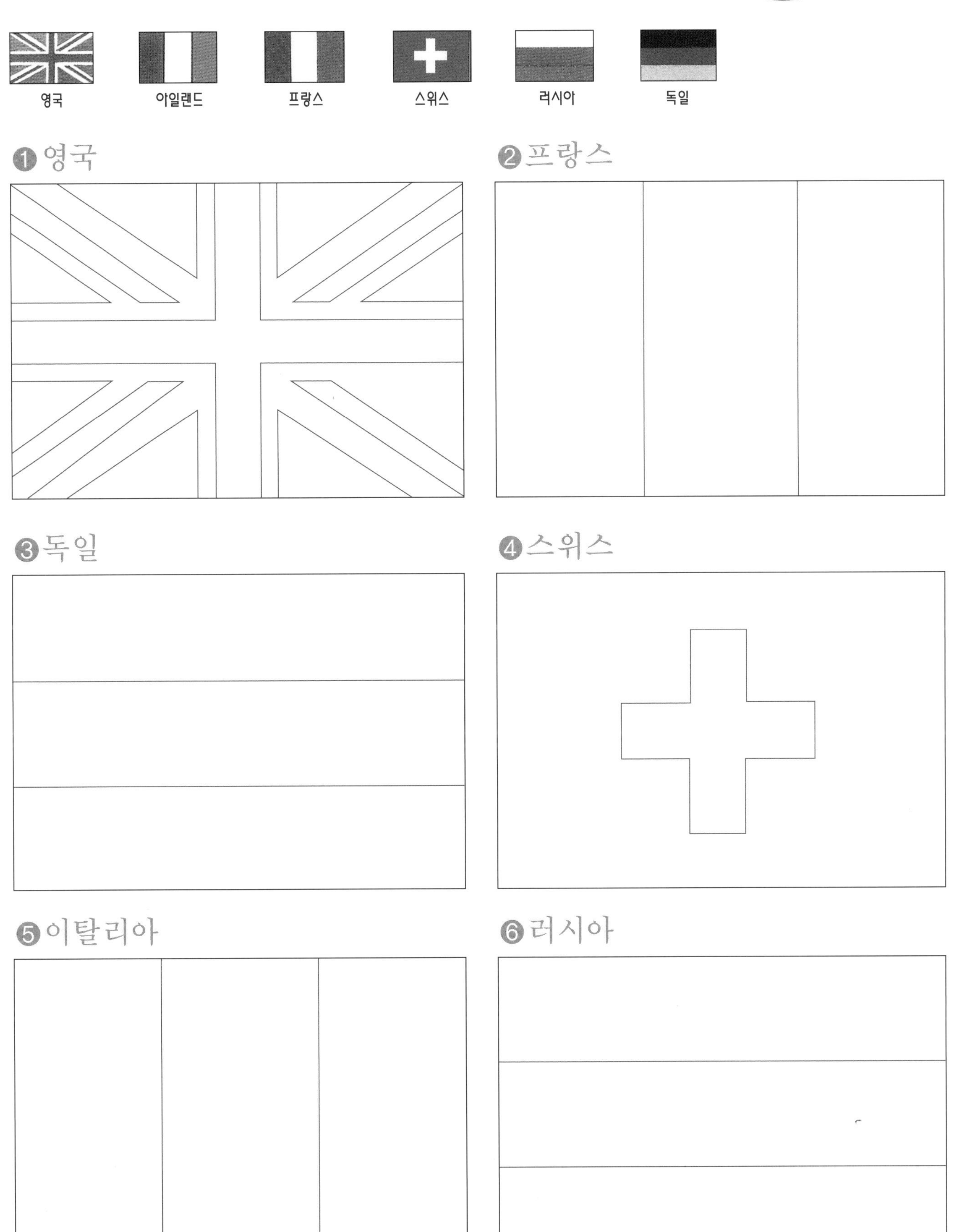

북유럽 국가의 국기를 색칠해 보세요.
국기를 잘 살펴보고, 색칠하면서 국기를 익혀 보아요.

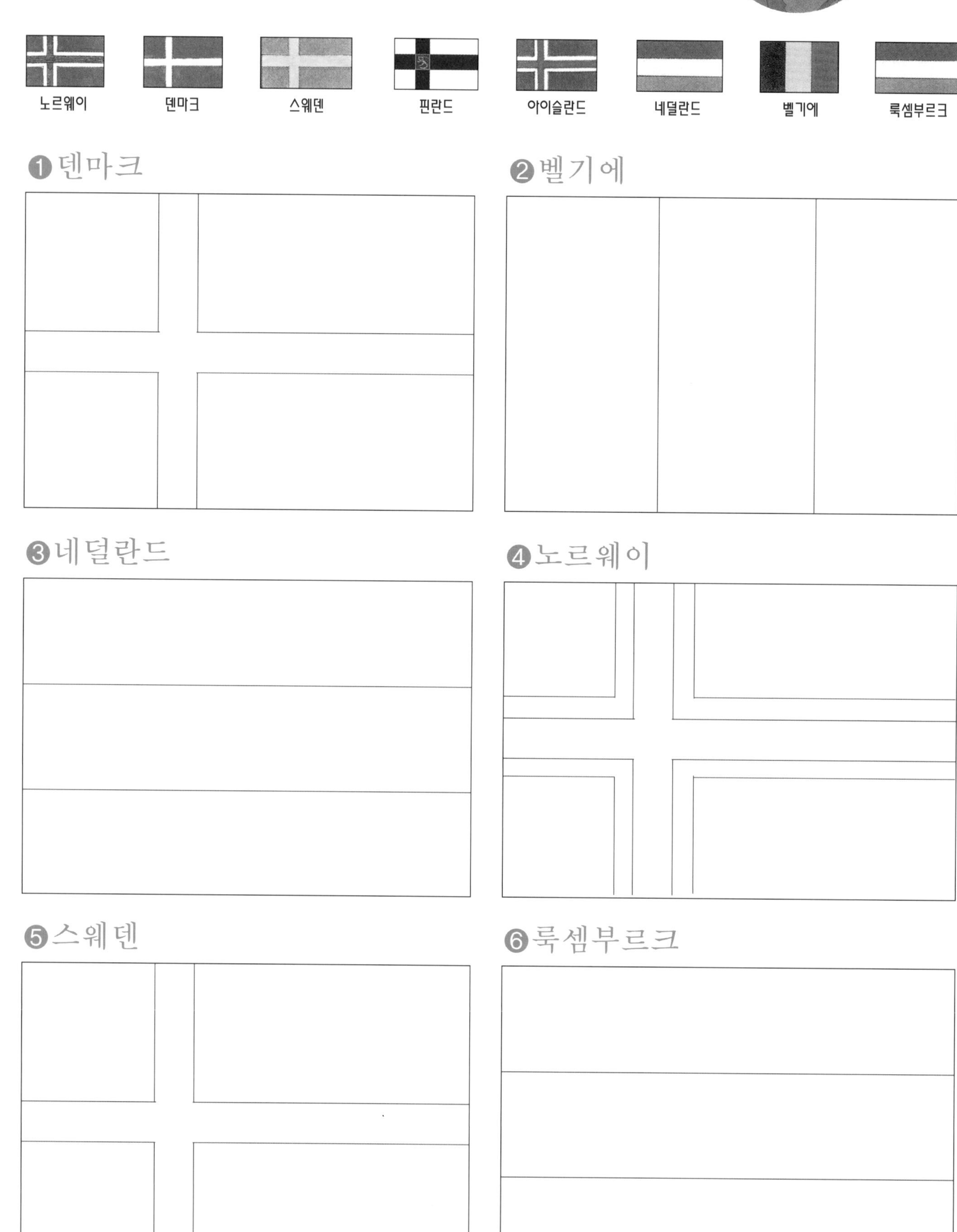

동유럽 국가의 국기를 색칠해 보세요.
국기를 잘 살펴보고, 색칠하면서 국기를 익혀 보아요.

폴란드

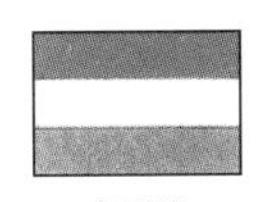

형가리

루마니아

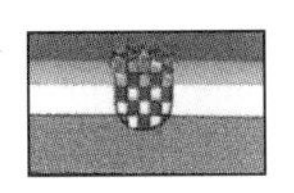
크로아티아

체코

슬로바키아

마케도니아

알바니아

보스니아-헤르체고비나

❶ 체코

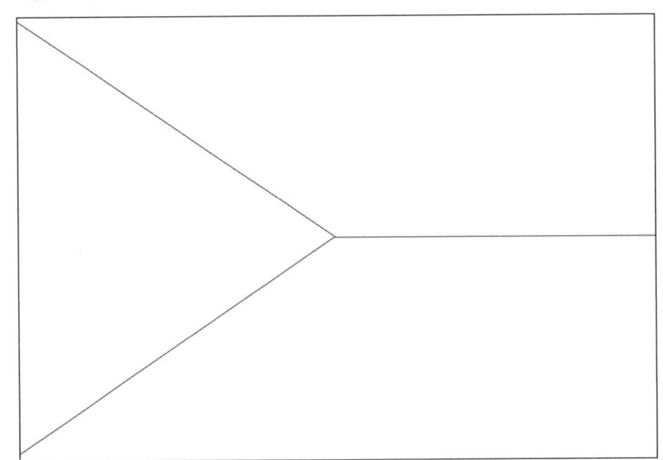

❷ 헝가리

❸ 마케도니아

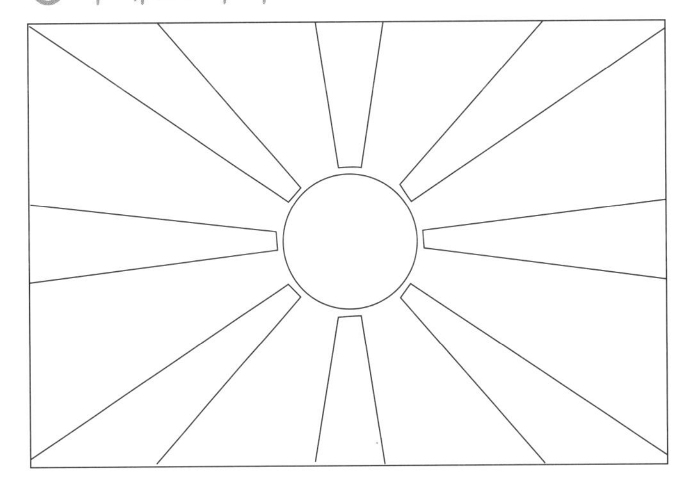

❹ 루마니아

❺ 폴란드

❻ 보스니아-헤르체고비나

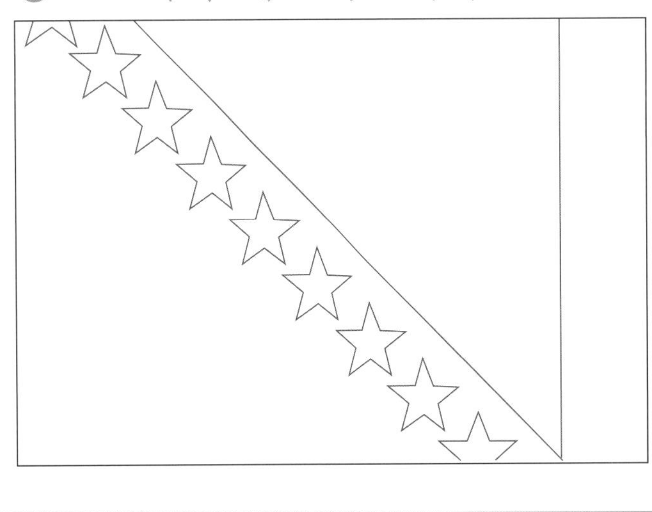

아프리카 북부

아프리카 북부에는 광활한 사하라 사막이 펼쳐져 있다. 사막 북쪽의 지중해 연안 지역에는 농업국인 이집트와 수단, 석유와 천연 가스가 풍부한 리비아와 알제리가 있다. 사하라 사막 남쪽에는 '사헬' 이라는 반사막 지대가 넓게 펼쳐져 있는데, 이곳에 모리타니, 말리, 부르키나파소, 니제르, 차드 등 세계에서 가장 가난한 나라들이 심한 굶주림에 시달리고 있다. 나이지리아, 가나, 베냉, 코트디부아르 등이 있는 서쪽 해안 지역은 땅이 기름져서 커피, 땅콩, 카카오 등이 재배된다.

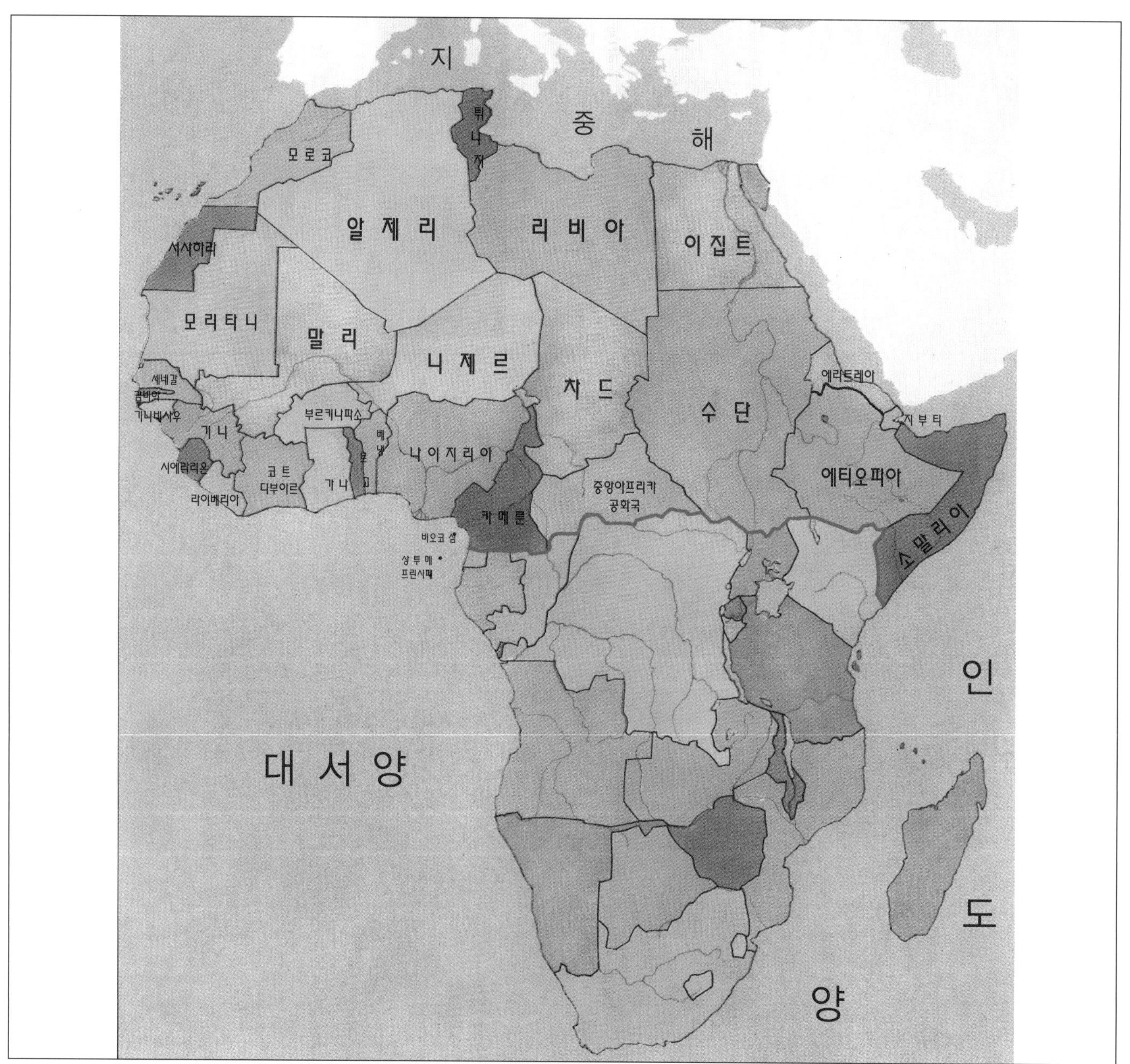

아프리카 북부 국가의 국기를 색칠해 보세요.
국기를 잘 살펴보고, 색칠하면서 국기를 익혀 보아요.

이집트

중앙아프리카공화국

가나

에티오피아

알제리

수단

❶이집트

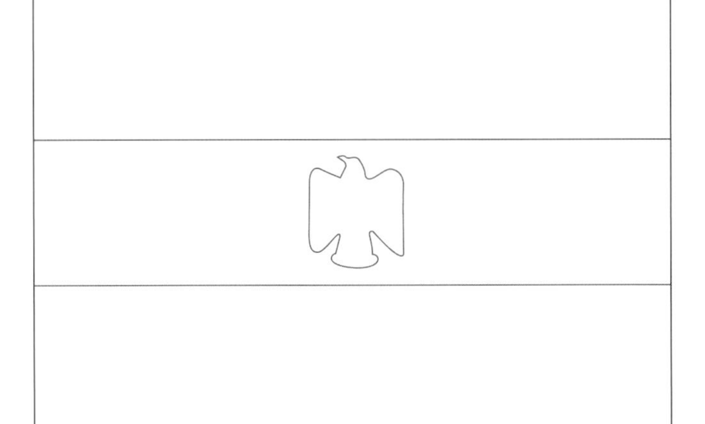

❷에티오피아

❸중앙아프리카공화국

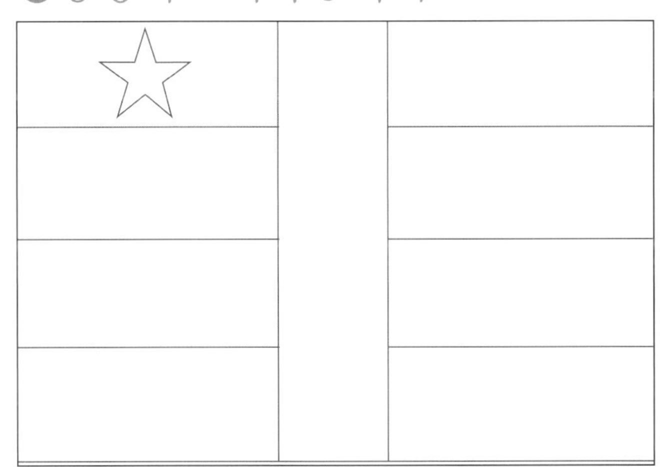

❹알제리

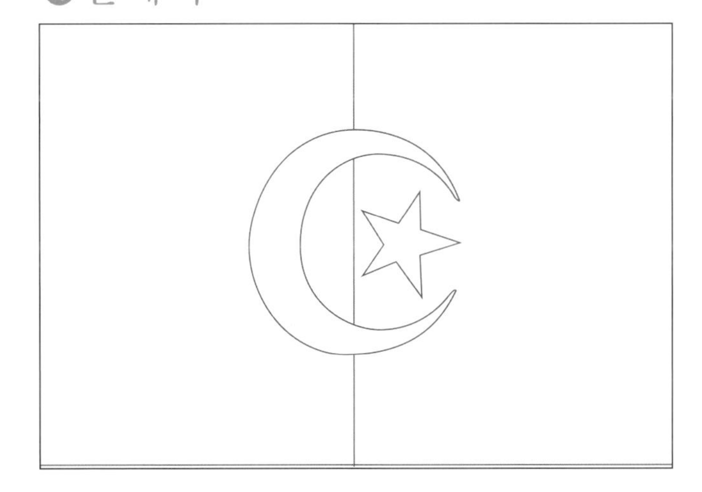

❺가나

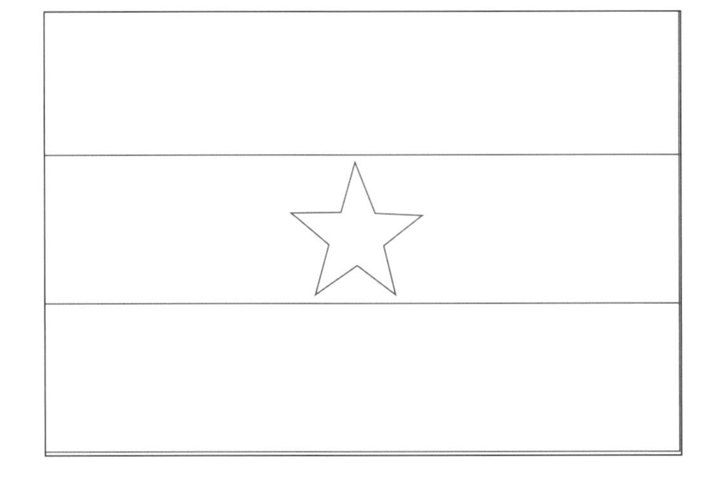

❻수단

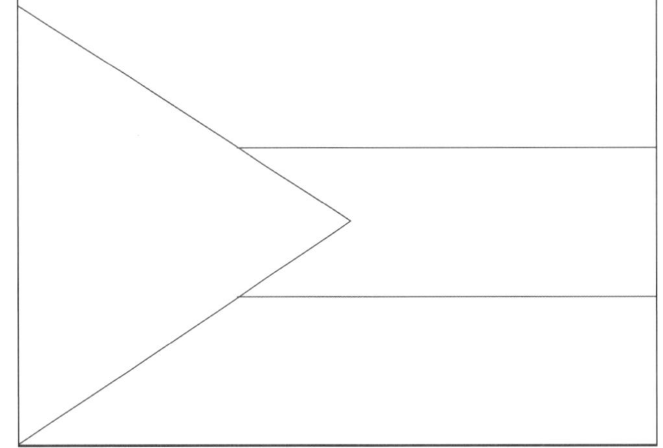

아프리카 남부

아프리카 남부는 자연환경과 인종이 매우 다양하다. 북서쪽에는 콩고 분지의 열대 우림이 있고, 동쪽에는 꼭대기가 만년설로 덮인 케냐 산, 킬리만자로 산이 솟아 있는 높은 초원 지대가 있어 야생 동물들이 큰 무리를 지어 돌아다닌다. 케냐, 우간다, 탄자니아는 기름진 농지가 있어 커피, 차, 옥수수, 면화 등을 재배하고, 앙골라, 잠비아, 짐바브웨에서는 다이아몬드, 철, 구리가 많이 난다. 이 나라들 남쪽에 있는 칼라하리 사막은 보츠와나와 나미비아의 대부분을 차지하고 있다. 그 밑에는 다이아몬드와 금으로 유명한 남아프리카 공화국이 있다.

상투메 프린시페

적도기니

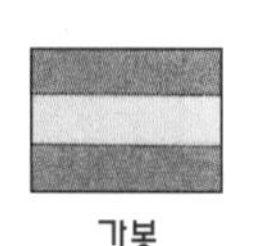
가봉

콩고

콩고 민주공화국

앙골라

잠비아

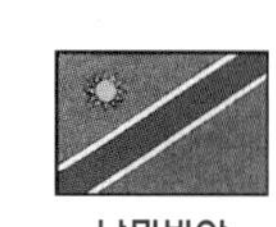
나미비아

보츠와나

남아프리카공화국

코모로

말라위

우간다

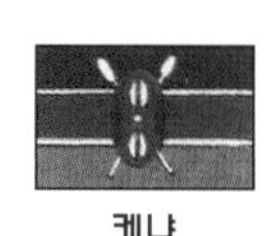
케냐

부룬디

탄자니아

짐바브웨

모잠비크

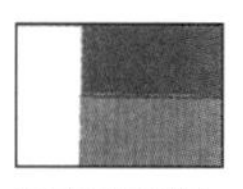
마다가스카르

스와질란드

르완다

레소토

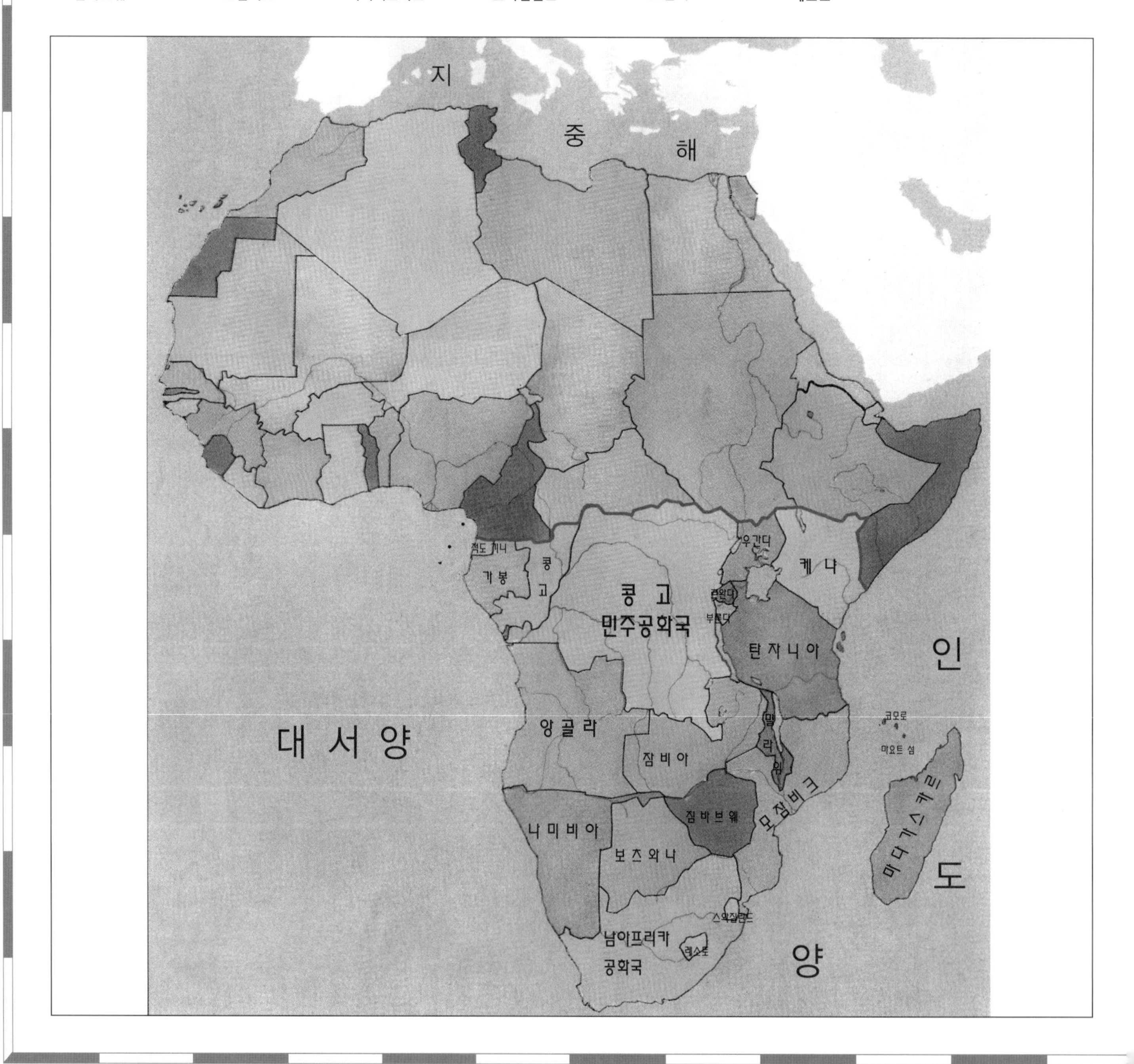

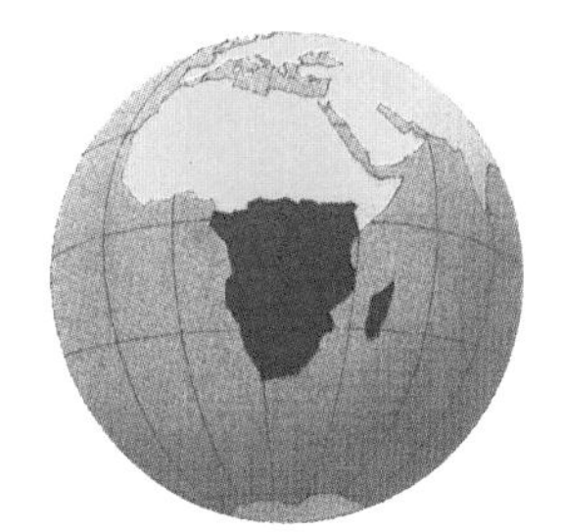

아프리카 남부 국가의 국기를 색칠해 보세요.
국기를 잘 살펴보고, 색칠하면서 국기를 익혀 보아요.

❶ 남아프리카공화국

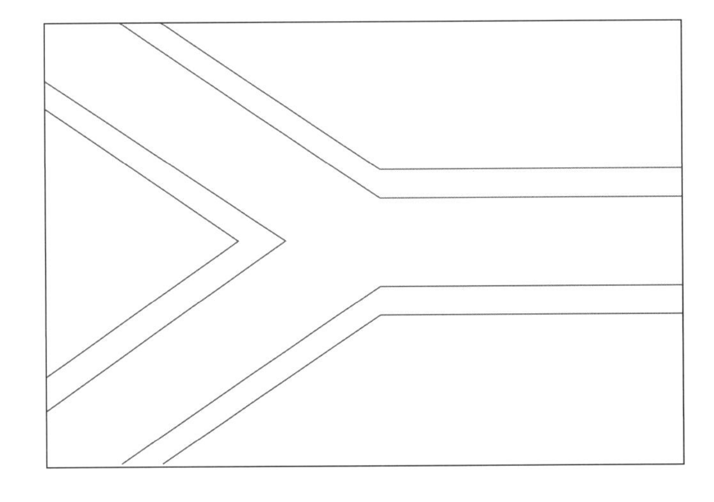

❷ 가봉

❸ 콩고

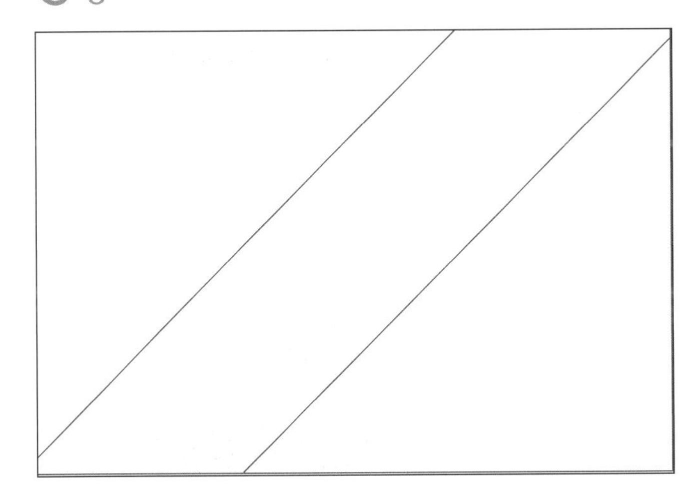

❹ 부룬디

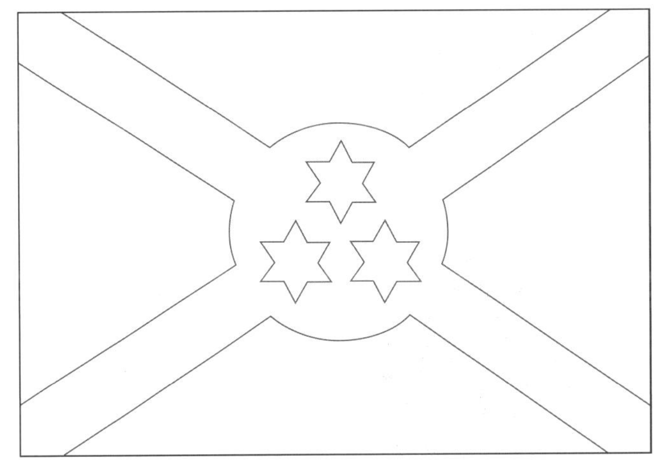

❺ 나미비아

❻ 마다가스카르

세계의 건축물

어느 나라의 건축물인지 찾아 줄로 이어 보세요.

스핑크스와 피라미드

대한민국

석가탑

인도

마추픽추

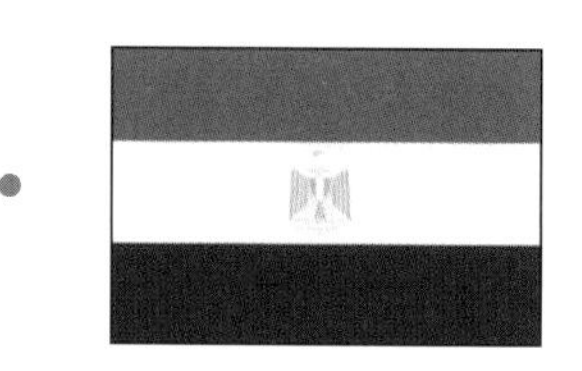
이집트

타지마할

페루

가장 높은 산? 가장 긴 강?

가장 높은 산, 가장 긴 강을 보기에서 찾아 빈칸에 써 보세요.

보기

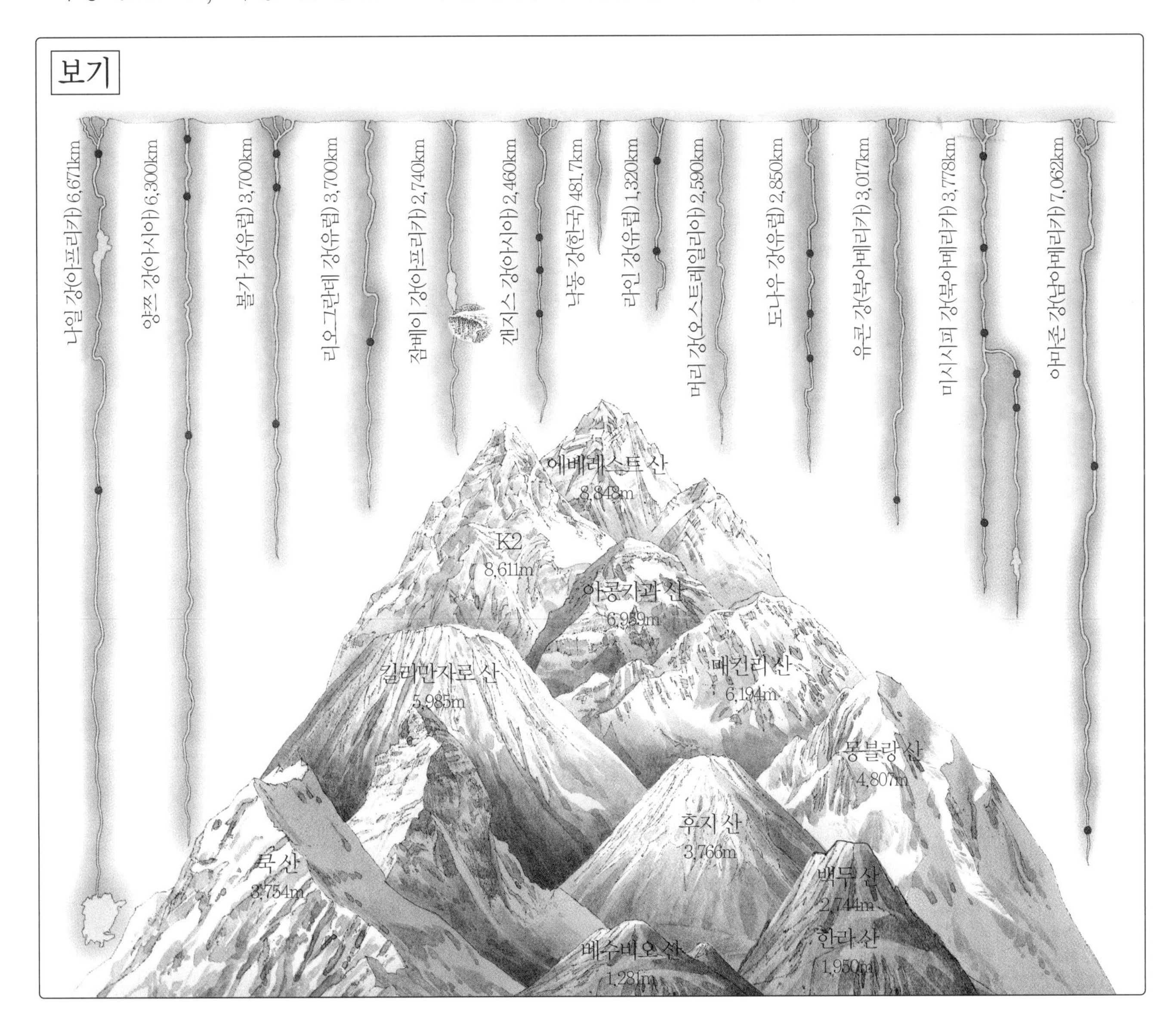

• 지구에서 가장 긴 강은? ………………………………

• 에베레스트 산의 높이는? ………………………………

북극

세계대여행 p.14를 읽고, 질문의 답을 찾아 빈칸에 써 보세요.

The Arctic

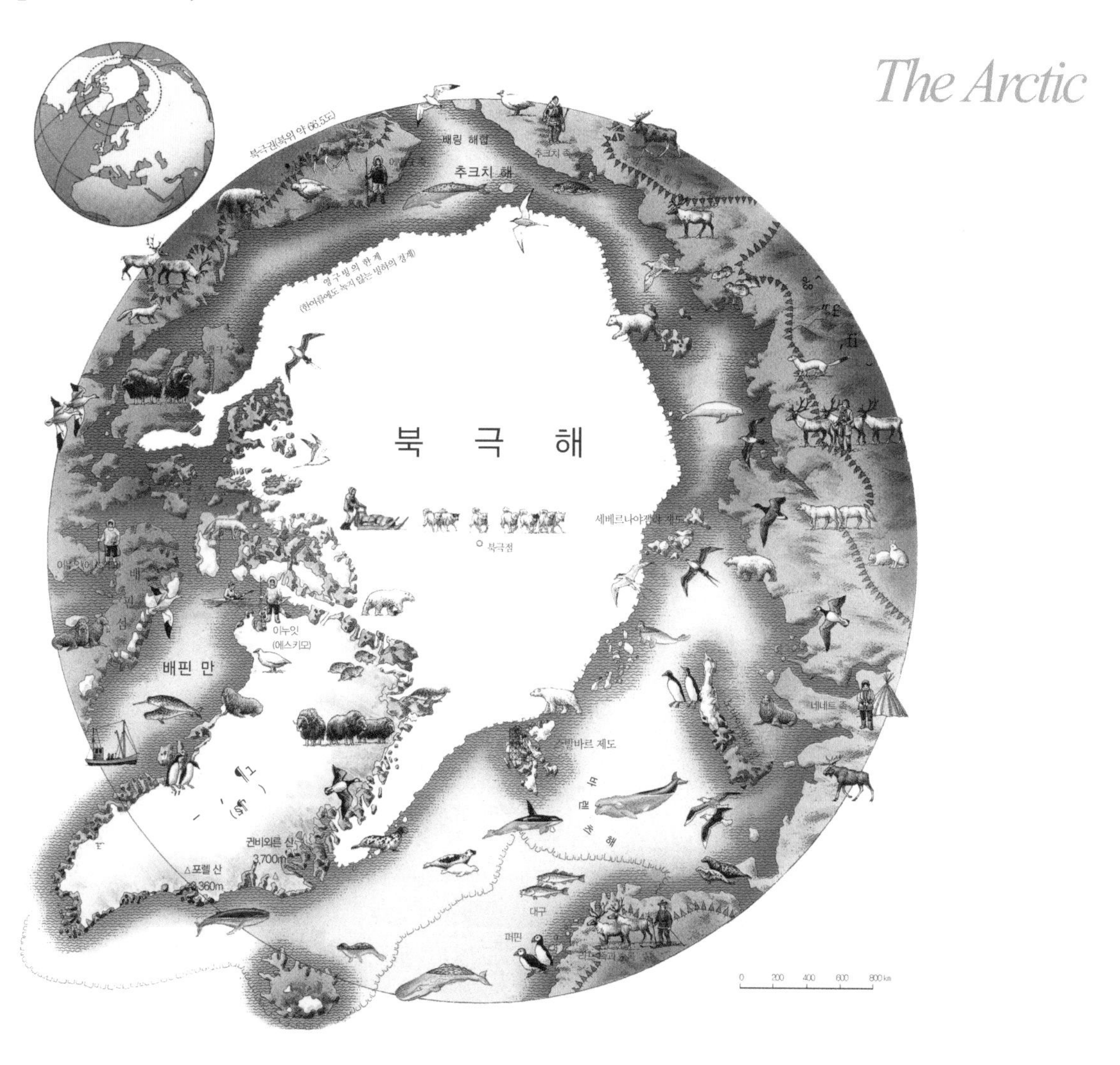

• 처음으로 북극점에 도달했다고 주장한 사람은?

....

• 북극에는 육지가 없다는 것을 증명한 미국의 잠수함은?

....

남극

세계대여행 p.15를 읽고, 질문의 답을 찾아 빈칸에 써 보세요.

• 세계 최초로 남극점에 도달한 사람은?

....

• 킹조지섬에 있는 우리나라 기지의 이름은?

....

 해답

20쪽

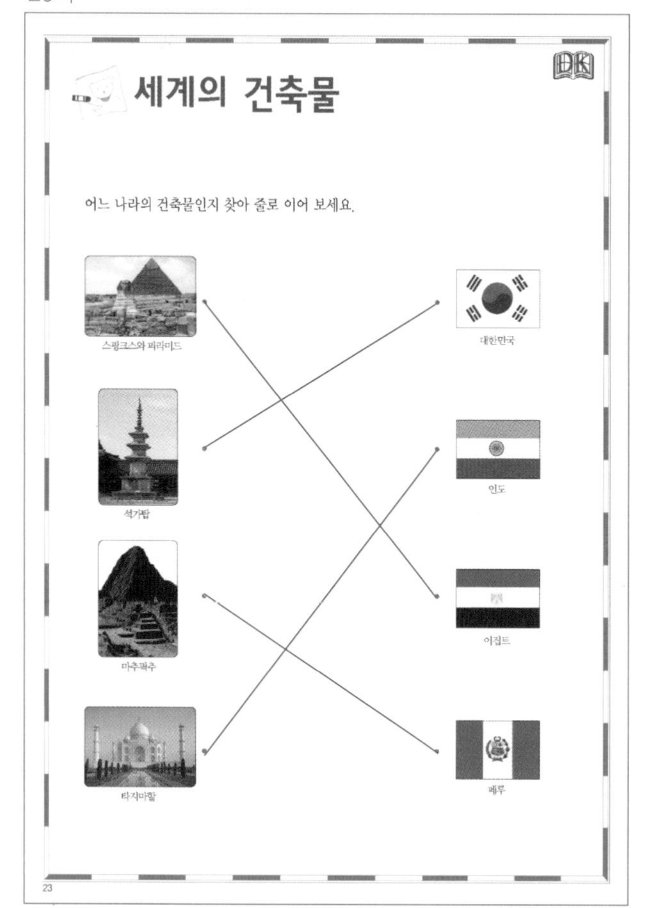

세계의 건축물

어느 나라의 건축물인지 찾아 줄로 이어 보세요.

스핑크스와 피라미드 — 이집트
석가탑 — 대한민국
마추픽추 — 페루
타지마할 — 인도

23

21쪽

가장 높은 산? 가장 긴 강?

가장 높은 산, 가장 긴 강을 보기에서 찾아 빈칸에 써 보세요.

보기

• 지구에서 가장 긴 강은? 아마존 강

• 에베레스트 산의 높이는? 8,848m

24

22쪽

북극

세계대여행 p.14를 읽고, 질문의 답을 찾아 빈칸에 써 보세요.

The Arctic

• 처음으로 북극점에 도달했다고 주장한 사람은?

로버트 피어리

• 북극에는 육지가 없다는 것을 증명한 미국의 잠수함은?

노틸러스 호

25

23쪽

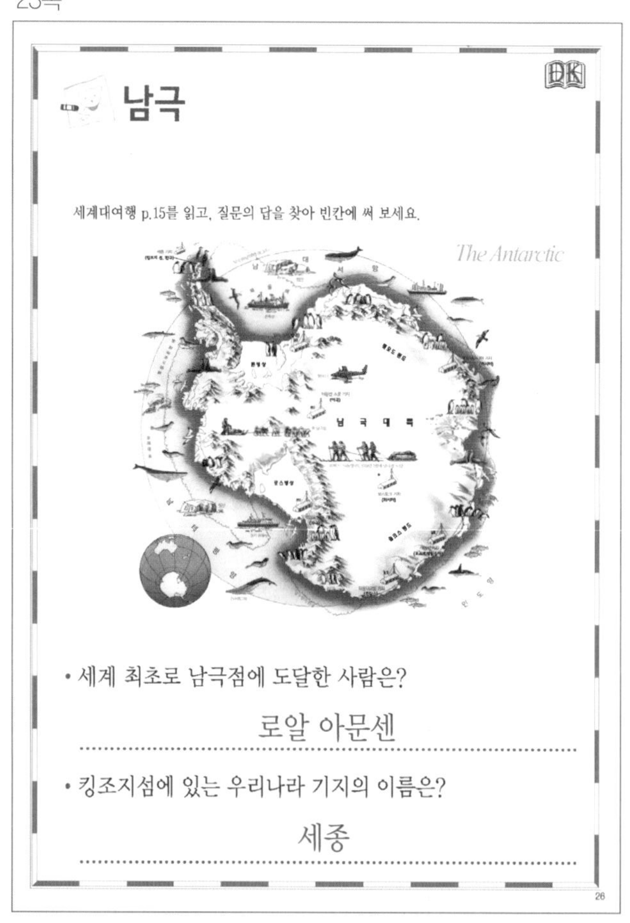

남극

세계대여행 p.15를 읽고, 질문의 답을 찾아 빈칸에 써 보세요.

The Antarctic

• 세계 최초로 남극점에 도달한 사람은?

로알 아문센

• 킹조지섬에 있는 우리나라 기지의 이름은?

세종

26